JN061862

ЧТО?!

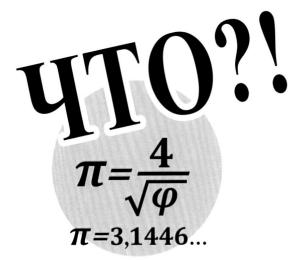

$$\pi = \frac{4}{\sqrt{\varphi}}$$

$$\pi = 3{,}1446\ldots$$

ЭТО ПРАВДА?!

Новый метод вычисления числа π на уровне
математической подготовки средней школы

Исправленное
издание

Автор: **Umeniuguisu**

BookWay

Вступление для всех читателей этой книги

Вероятно, эту книгу из-за ее специализированного содержания стоило обнародовать на каком-нибудь академическом собрании. Но я, не будучи ни математиком, ни ученым, ни специалистом на каком-нибудь предприятии, этого не сделал или не смог. Я всего лишь простой рабочий, живущий в Японии и зарабатывающий себе на хлеб физическим трудом. Но у меня есть глубокий интерес к окружающей нас Вселенной. Мои познания в математике примерно ограничиваются программой старшей школы. Если Вы дочитаете эту книгу до конца, то поймете, что в ней используется математика на уровне учеников средней школы. При этом в Японии среднешкольное образование является обязательным, поэтому смею предположить, что понять эту книгу могут очень многие проживающие в Японии люди, а не только владеющие продвинутыми математическими знаниями математики, ученые или специалисты на предприятиях. В этом состоит основная причина и смысл написания этой книги. Поэтому я по мере возможности стремился писать так, чтобы содержание книги было доступно людям со скромными познаниями в математике. Я хочу, чтобы люди с продвинутыми способностями в математике это запомнили.

Я полагаю, что, если не принимать в расчет людей, ненавидящих математику, содержание этой книги как минимум способно вызвать интерес у тех, кто ее может взять в руки и прочитать. Как видите, это вовсе не это многостраничный том. Не имея в мыслях никого озадачивать сложными вопросами, я буду счастлив, если Вы найдете минутку за чаем и в качестве отдыха насладитесь моими скромными идеями в отношении числа π.

Автор: Umeniuguisu

Примечание: Ученикам средней школы в Японии от 13 до 15 лет.

Оглавление

Вступление для всех читателей этой книги $\cdots\cdots$ 2

Глава 1   Начинаем с окружности (π) и
пятиконечной звезды (φ) $\cdots\cdots$ 4

Глава 2   В поисках формулы, связывающей
π (пи) и φ (фи) $\cdots\cdots$ 7

Глава 3   Получение $\dfrac{4}{\pi} = \sqrt{\varphi}$ из связанных
формул $\cdots\cdots$ 16

Глава 4   Проверка формулы $\pi = \dfrac{4}{\sqrt{\varphi}}$ $\cdots\cdots$ 32

В заключение $\cdots\cdots$ 42

Глава 1 | Начинаем с окружности (π) и пятиконечной звезды (φ)

Для начала попрошу всех читателей этой книги посмотреть на нижеследующую схему.

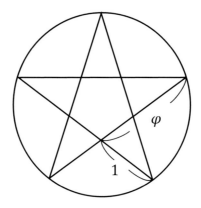

Я думаю, что Вы уже где-то ее видели. Это вписанная в окружность пятиконечная звезда. Знаете ли Вы, что здесь нашло себе пристанище множество золотых сечений φ (фи)? На схеме изображен всего лишь один пример. Цель этой книги – не подсчет количества этих φ (фи) на вписанной в окружность пятиконечной звезде. Если Вам интересно, поищите в книгах или Интернете. Особенно в Интернете можно легко получить большое количество знаний.

Этой схемой я хочу сказать, что фигура звезды, содержащая множество золотых сечений φ (фи), красиво вписывается в окружность. Для меня это стало одной из причин предположить существование связи между отношением длины окружности к ее диаметру π и золотым сечением φ. Также с этого начинается мое изучение отношений π и φ. До написания данной книги это заняло 4 с половиной года. Это всего лишь ничтожный отрезок времени с точки зрения тысячелетней истории математиков, но по моим ощущениям - достаточно долгое время.

До того, как Вы приступите к чтению, хочу еще кое-что сообщить. Есть принципы, за соблюдением которых я – человек, обладающий способностями к математике на уровне старшей школы (в университете изучал экономику) – тщательно следил. Их три:

1. Использовать как можно более легкие (простые) цифры.

2. По возможности не использовать сложные и непонятные формулы.

3. При тупике в расчетах не заходить слишком далеко.

Следование этим трем принципам помогло мне не сойти с ума от цифр и формул. Этому есть еще одна причина. Многие из Вас знают эту формулу, но я хочу, чтоб Вы еще раз на нее посмотрели.

$$E = mc^2$$

Это формула Альберта Эйнштейна, не так ли? Насколько же она легкая (простая) и красивая! Может быть, если выразить связь между отношением длины окружности к ее диаметру π и золотым сечением φ, получится настолько же легкая (простая) и красивая формула? Это достаточно легко представить себе из пятиконечной звезды, вписанной в окружность. Из-за провалов в многократных расчетах я долго размышлял, как же найти решение в пределах своих способностей к математике и не перестараться. И если Вы не относитесь к читателям с продвинутыми способностями к математике, и по ходу чтения у Вас появятся вопросы, думаю, что будет неплохо спросить у других или продолжить чтение после небольшого перерыва.

Итак, перейдем к основному вопросу…

*На схемах в этой книге масштаб приблизительный, а не точный. Причина в приоритетности букв и цифр, иными словами, визуальной доступности для понимания. Прошу обратить на это внимание.

Глава 2	В поисках формулы, связывающей π (пи) и φ (фи)

Для меня стал большой проблемой способ получения формулы, связывающей отношение длины окружности к ее диаметру π (пи) и золотое сечение φ (фи), а именно, нахождение схемы, отражающей эту взаимосвязь.

Серьезно? Так разве у нас уже нет «пятиконечной звезды, вписанной в окружность»?!

Само собой, поначалу я тоже пытался на этой схеме обнаружить взаимосвязь между π и φ , но расчеты с использованием тригонометрических функций sin (синус), cos (косинус), tan (тангенс) только все усложняли, и окончательно запутавшись, я отказался от этого способа. Это говорит исключительно о том, что я не смог найти формулу с помощью своих математических способностей, и вовсе не отрицает возможностей людей с продвинутыми познаниями в математике. Также я старался получить искомое из других схем, но в процессе все мои попытки закончились провалом. Наконец, после долгих размышлений я увидел способ отыскать взаимосвязь с помощью нижеследующей схемы. Это график, отображающий процесс продления линии золотого сечения φ (фи). Если Вы уже знаете, как он выглядит, прошу немного терпения.

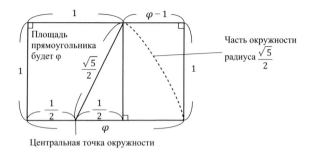

Площадь прямоугольника будет φ

$\frac{\sqrt{5}}{2}$

Часть окружности радиуса $\frac{\sqrt{5}}{2}$

$\frac{1}{2}$ $\frac{1}{2}$

φ

Центральная точка окружности

Есть несколько способов вычисления φ, но поскольку цель книги не состоит в разъяснении их всех, я привожу способ, показавшийся мне легким для понимания.

Из схемы выше следует, что...

$$\text{Золотое сечение } \varphi \text{ (фи)} = \frac{1+\sqrt{5}}{2} = 1{,}61803398874......$$

А сейчас еще и для того, чтобы из схемы выше получить формулу взаимосвязи между π и φ, построим следующую схему. Начертим прямоугольник с площадью φ и квадрат с такой же площадью. Построение этого квадрата – очень важный момент.

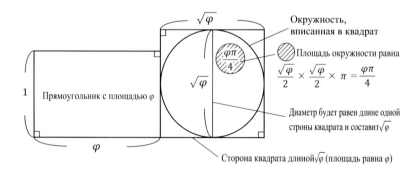

$\sqrt{\varphi}$

Окружность, вписанная в квадрат

$\frac{\varphi\pi}{4}$

Площадь окружности равна

$$\frac{\sqrt{\varphi}}{2} \times \frac{\sqrt{\varphi}}{2} \times \pi = \frac{\varphi\pi}{4}$$

$\sqrt{\varphi}$

Прямоугольник с площадью φ

Диаметр будет равен длине одной стороны квадрата и составит $\sqrt{\varphi}$

φ

Сторона квадрата длиной $\sqrt{\varphi}$ (площадь равна φ)

8

Мы получили значение $\dfrac{\varphi\pi}{4}$, имеющее отношение как к π, так и к φ.

Чтобы вновь получить нужную формулу, построим аналогичную схему.

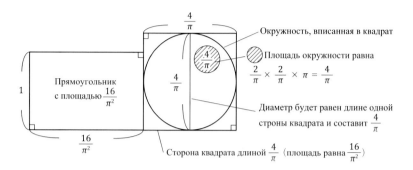

Минуточку! А почему вдруг появилась дробь $\dfrac{4}{\pi}$?

Тому есть следующие три причины (их даже больше, но поскольку они сложные, в этой книге не приводятся).

1. Первая причина — значение $\dfrac{4}{\pi}$. Допустив, что $\pi \approx 3{,}14$, попробуем сравнить значения $\sqrt{\varphi}$ и $\dfrac{4}{\pi}$ (*знак $\approx$ имеет смысл «приблизительно»).

$$\dfrac{4}{\pi} \approx 1{,}27388535031\ldots\ldots$$
$$\sqrt{\varphi} = 1{,}27201964951\ldots\ldots$$

Два полученных значения примерно одинаковы. Это первая причина.

2. Вторая причина состоит в особых свойствах дроби $\frac{4}{\pi}$. Предлагаю рассмотреть следующую схему и относящиеся к ней значения.

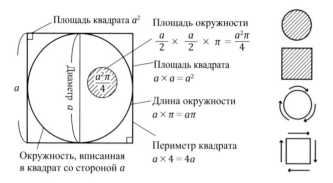

Площадь квадрата a^2

Площадь окружности
$$\frac{a}{2} \times \frac{a}{2} \times \pi = \frac{a^2\pi}{4}$$

$\frac{a^2\pi}{4}$

Площадь квадрата
$$a \times a = a^2$$

Длина окружности
$$a \times \pi = a\pi$$

Периметр квадрата
$$a \times 4 = 4a$$

Диаметр a

a

Окружность, вписанная в квадрат со стороной a

При взгляде на все эти значения, Вам ничего не приходит в голову? Давайте попробуем умножить площадь окружности и ее длину на $\frac{4}{\pi}$.

$$\frac{a^2\pi}{4} \times \frac{4}{\pi} = a^2 \ldots\ldots \text{Это значение идентично площади квадрата}$$

$$a\pi \times \frac{4}{\pi} = 4a \ldots\ldots \text{А эта величина равна его периметру}$$

Теперь Вы видите? Вне зависимости от размеров, для всех квадратов верно следующее: если площадь и длину вписанной в квадрат окружности умножить на $\frac{4}{\pi}$, получатся равные площади квадрата и его периметру величины. Эта особенность числа $\frac{4}{\pi}$ - вторая причина.

При этом данное свойство $\frac{4}{\pi}$ играет большую роль в прояснении связи между отношением длины окружности к ее диаметру π и золотым сечением φ. Даже более того, без использования этого свойства эту связь не понять. Поскольку мы будем использовать это для дальнейших расчетов, рекомендую Вам запомнить этот момент.

3. Третья причина тоже заключается в особом свойстве, присущем дроби $\frac{4}{\pi}$.

Эту особенность я раскрою в самом конце. Ее не так просто обнаружить. Она состоит в том, что предположение о не «просто примерном», а об «абсолютном равенстве» $\sqrt{\varphi}$ и $\frac{4}{\pi}$ оказывается крайне полезным.

Сгорающие от любопытства школьники, не хитрите, поскорее перевернув страницу! В этой книге их и без того мало, так что давайте по порядку (шутка).

Между тем, для углубления связи между π и φ изобразим на схеме одну небольшую идею.

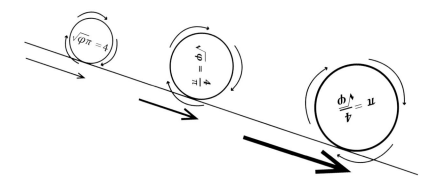

Сделаем небольшой перерыв!

До сих пор я получил две схемы, взяв прямоугольники и квадраты с площадями φ (фи) и $\frac{16}{\pi^2}$ соответственно. Однако, по ним я не смог выявить важную формулу, показывающую связь π и φ.

В результате метода проб и ошибок для изучения взаимосвязи π и φ, я осознал, что помимо этих двух схем нужна еще одна. Она подобна первым, но на ней важным моментом станет введение неизвестной x и установление площади окружности в размере $\sqrt{\varphi}$. Далее приводится эта схема.

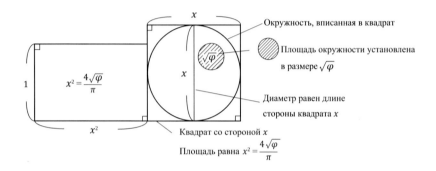

Осмелимся установить площадь окружности в размере $\sqrt{\varphi}$, как на схеме.

Подождите! Зачем вообще определять площадь окружности в виде $\sqrt{\varphi}$?

Тому есть две причины.

1. Первая – величина $\sqrt{\varphi}$. Давайте сравним с площадью окружностью надвух первых схемах. Попробуем сосчитать, подставив значение π ≈3,14, как и в прошлый раз.

$$\left[\begin{array}{l} \dfrac{\varphi\pi}{4} \approx 1{,}2701\ldots\ldots \quad (\text{пл-дь окр-ти, вписанной в квадрат со стор. } \sqrt{\varphi}) \\[3mm] \dfrac{4}{\pi} \approx 1{,}2738\ldots\ldots \quad (\text{пл-дь окр-ти, вписанной в квадрат со стор. } \dfrac{4}{\pi}) \end{array}\right.$$

$\sqrt{\varphi} = 1{,}2720\ldots\ldots$(площадь окружности, вписанной в квадрат со стороной x)

Если сравнить, то все три величины получаются очень близкими. В этом и состоит первая причина.

2. Вторая причина заключается в том, что установление площади окружности в размере $\sqrt{\varphi}$ как раз является ключом к пониманию величины неизвестной x, что становится чрезвычайно важным моментом для выявления связи между отношением длины окружности к ее диаметру π и золотым сечением φ. Это имеет отношение к третьей причине, затронутой ранее на стр. 11, и обладает большим скрытым смыслом. Поэтому с помощью последующих объяснений я хочу в конце сделать это очевидн ым также для всех читателей этой книги.

Итак, для упрощения дальнейших рассуждений, ниже приводятся по порядку все три полученные ранее схемы. Присвоим им обозначения А. В. С., при этом в уравнениях для каждой схемы возьмем следующие обозначения за a.b.c.d.:

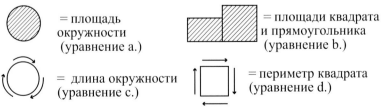

А теперь посмотрим, что у нас получилось.

схемы А.

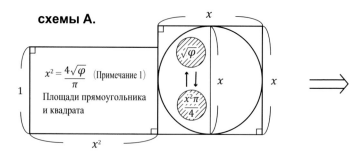

схемы В.

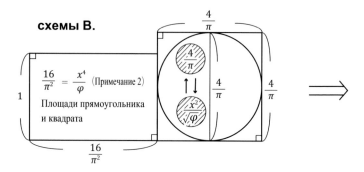

схемы С.

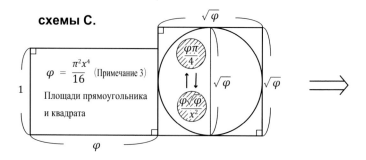

*Стороны фигур и масштабы на схемах даны приблизительно.

Примечание 1. При умножении площади окружности на $\frac{4}{\pi}$ получается

площадь квадрата (= прямоугольника).

Примечание 2. Можно посчитать с помощью уравнения В.a.

Примечание 3. Можно посчитать с помощью уравнения В.b.

Уравнение A.a. $\dfrac{x^2\pi}{4}=\sqrt{\varphi}$ (площадь окружности)

"   A.b. $x^2=\dfrac{4\sqrt{\varphi}}{\pi}$ (площади квадрата и прямоугольника)

"   A.c. $x\pi=\dfrac{4\sqrt{\varphi}}{x}$ (длина окружности)

"   A.d. $\dfrac{16\sqrt{\varphi}}{x\pi}=4\,x$ (периметр квадрата)

Уравнение B.a. $\dfrac{4}{\pi}=\dfrac{x^2}{\sqrt{\varphi}}$ (площадь окружности)

"   B.b. $\dfrac{16}{\pi^2}=\dfrac{x^4}{\varphi}$ (площади квадрата и прямоугольника)

"   B.c. $\dfrac{x^2\pi}{\sqrt{\varphi}}=4$ (длина окружности)

"   B.d. $\dfrac{4x^2}{\sqrt{\varphi}}=\dfrac{16}{\pi}$ (периметр квадрата)

Уравнение C.a. $\dfrac{\varphi\pi}{4}=\dfrac{\varphi\sqrt{\varphi}}{x^2}$ (площадь окружности)

"   C.b. $\varphi=\dfrac{\pi^2 x^4}{16}$ (площади квадрата и прямоугольника)

"   C.c. $\sqrt{\varphi}\pi=\dfrac{4\varphi}{x^2}$ (длина окружности)

"   C.d. $x^2\pi=4\sqrt{\varphi}$ (периметр квадрата)

*Все уравнения можно рассчитать на основе формулы A.b.

*Для справки: при расчете с $\pi\approx 3{,}14$, $\dfrac{4}{\pi}\approx 1{,}2738$, $\sqrt{\varphi}\approx 1{,}2720$, $x\approx 1{,}2729$ становится понятно, что длины сторон на **схемах A.B.C.** обладают крайне близкими значениями.

Глава 3 | Получение $\frac{4}{\pi} = \sqrt{\varphi}$ из связанных формул

В Главе 2 мы смогли получить множество формул, связанных с отношением длины окружности к ее диаметру π (пи) и золотым сечением φ (фи). Отсюда попробуем выявить связь между π и φ.

Я предлагаю всем читателям этой книги внимательно посмотреть на три **схемы A. B. C.** и имеющие к ним отношение формулы. Вам ничего не бросается в глаза?..
Еще раз, пожалуйста. Смотрите хорошенько!..

Что? Вы правда ничего не замечаете?

Внимание может отвлечь неизвестная x, но здесь важным моментом является $\sqrt{\varphi}$. То, как задействован $\sqrt{\varphi}$ в каждой формуле, и задействован ли вообще.

Посмотрите на **схему A**. Если умножить площадь вписанной в квадрат окружности на $\frac{4}{\pi}$, получится площадь квадрата. (*это уже объяснено на стр.10). Здесь вместо $\frac{4}{\pi}$ я прошу умножить на очень близкий по значению $\sqrt{\varphi}$. Если это сделать, то как раз получится значение, равное площади квадрата на **схеме C**. Далее прошу умножить на $\sqrt{\varphi}$ площадь окружности и ее длину со **схемы B**. В результате на этот раз получится величина, равная площади квадрата на **схеме A.** и периметр квадрата на **схеме C.** При умножении площадей вписанных в квадрат окружностей на $\frac{4}{\pi}$ мы получаем площадь и периметр этих квадратов, а если их умножить на $\sqrt{\varphi}$, выходят равные площадям и периметрам квадратов с других схем величины.

x, $\frac{4}{\pi}$ и $\sqrt{\varphi}$ обладают очень близкими значениями, поэтому это совпадение? Вам не кажется странным, что происходят такие странные случайности?

Возможно ли, что $\frac{4}{\pi}$ и $\sqrt{\varphi}$ не просто «очень близки по значению», а «абсолютно равны»?

Хочу акцентировать внимание на том, что, как следует из пояснения выше, если площадь и длину окружности со **схемы B.** умножить вместо $\frac{4}{\pi}$ на $\sqrt{\varphi}$, то одновременно получатся значения, равные квадратам на разных **схемах A.** и **C.** В этом состоит чрезвычайно важный ключ к пониманию связи между $\frac{4}{\pi}$ и $\sqrt{\varphi}$. При этом данный факт не «случайность», а «закономерность», что я и решил подтвердить с помощью расчетов. Для упрощения этого объяснения прошу рассмотреть нижеследующий рисунок с окружностью со **схемы B.**

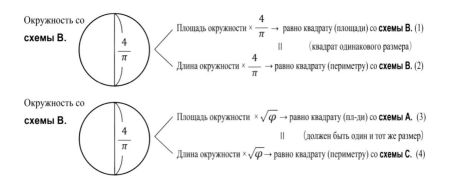

Окружность со **схемы B.**

Площадь окружности × $\dfrac{4}{\pi}$ → равно квадрату (площади) со **схемы B.** (1)

‖ (квадрат одинакового размера)

Длина окружности × $\dfrac{4}{\pi}$ → равно квадрату (периметру) со **схемы B.** (2)

Окружность со **схемы B.**

Площадь окружности × $\sqrt{\varphi}$ → равно квадрату (пл-ди) со **схемы A.** (3)

‖ (должен быть один и тот же размер)

Длина окружности × $\sqrt{\varphi}$ → равно квадрату (периметру) со **схемы C.** (4)

Как видите, при умножении врайне близкого по величине к $\dfrac{4}{\pi}$ значения $\sqrt{\varphi}$, получаем равенство с квадратами как со **схемы A.**, так и со **схемы C.** Можно предположить, что размеры квадрата со **схемы B.** отличаются, но поскольку на окружность одного размера умножили одно и то же число $\sqrt{\varphi}$, выводы (3) и (4), подобно взаимосвязи (1) и (2), должны относиться к квадратам такого же размера, даже если есть различия в значениях площади и длины окружности (это очень важный момент! Ход рассуждений Вам понятен?).

Отсюда можно сделать вывод о том, что квадраты на **схемах A.** и **C.** одного размера. Также это значит, что x и $\sqrt{\varphi}$ равны, из чего следует тождество $\sqrt{\varphi}$ и $\dfrac{4}{\pi}$. Далее попробуем подтвердить с помощью расчетов, что, как изложено выше, x, $\sqrt{\varphi}$ и $\dfrac{4}{\pi}$ обладают одинаковыми значениями. Ведь в мире цифр одного убеждения о предполагаемом равенстве недостаточно для доказательства, не правда ли?

Теперь для определения того, являются ли $\dfrac{4}{\pi}$ и $\sqrt{\varphi}$ равными величинами или нет, попробуем в различные уравнения со **схем A.B.C.** вместо $\dfrac{4}{\pi}$ подставить $\sqrt{\varphi}$. Рассуждения будут приведены к каждой схеме по порядку, и в конце последует дополнительное объяснение.

Итак, приступим.

В случае схемы А.

Если уравнение A.c. со **схемы А.** умножить на $\dfrac{4}{\pi}$, получится уравнение A.d. В процессе этого умножим вместо $\dfrac{4}{\pi}$ на $\sqrt{\varphi}$ и попробуем порассуждать. При этом сравним два уравнения.

$$x\,\pi = \frac{4\sqrt{\varphi}}{x} \xrightarrow{\ \times\ \dfrac{4}{\pi}\ } 4 \times x = \frac{4\sqrt{\varphi}}{x} \times \frac{4}{\pi} \ \cdots\cdots\cdots\cdots\ \alpha$$

(попробуем умножить на $\sqrt{\varphi}$)

$$x\,\pi = \frac{4\sqrt{\varphi}}{x} \xrightarrow{\ \times\ \sqrt{\varphi}\ } \sqrt{\varphi}\pi \times x = \frac{4\sqrt{\varphi}}{x} \times \sqrt{\varphi} \ \cdots\cdots\cdots\ \beta$$

*Для упрощения сравнения двух уравнений, их частям, содержащим различия, присвоим номера.

$$(1)\left(\ 4\ \right) \times x = \frac{4\sqrt{\varphi}}{x} \times \left(\frac{4}{\pi}\right)(2)$$

$$(3)\left(\sqrt{\varphi}\pi\ \right) \times x = \frac{4\sqrt{\varphi}}{x} \times \left(\sqrt{\varphi}\right)(4)$$

У двух уравнений части x и $\dfrac{4\sqrt{\varphi}}{x}$ одинаковы, поэтому если части (1) и (3), (2) и (4) «абсолютно равны по величине», указанные выше уравнения α и β будут тождественны.

Для справки еще раз посчитаем примерные значения частей с (1) по (4) при $\pi \approx 3{,}14$, $\varphi \approx 1{,}6180$ и укажем их ниже.

(1) 4   (2) $\dfrac{4}{\pi} \approx 1{,}2738$ (3) $\sqrt{\varphi}\pi \approx 3{,}9940$ (4) $\sqrt{\varphi} \approx 1{,}2720$

Полученные величины приблизительны, однако при рассмотрении становится понятно, что части (1) и (3), (2) и (4) крайне близки по значению. Поскольку мы понимаем, что $\dfrac{4}{\pi}$ и $\sqrt{\varphi}$ чрезвычайно близки по величине, результат не является неожиданностью.

Далее для определения того, абсолютно тождественны ли вышеуказанные уравнения с «абсолютно равными величинами» α и β между собой или нет, произведем четыре нижеследующих расчета.

*При умножении не перепутайте номера от (1) до (4)!

1. Во-первых, если (1) и (3), (2) и (4) – абсолютно равные величины, то и величины полученные умножением (1) на (4), (2) на (3) должны быть равны между собой. Попробуем посчитать.

$$\underset{(1)}{(4)} \times \underset{(4)}{(\sqrt{\varphi})} = \underset{(2)}{(\frac{4}{\pi})} \times \underset{(3)}{(\sqrt{\varphi\pi})} \to 4\sqrt{\varphi} = 4\sqrt{\varphi}\ldots\text{да, это так: они равны.}$$

2. Во-вторых, если (1) и (3), (2) и (4) – абсолютно равные величины, и если в уравнения вместо (1) подставить (3) и наоборот (то есть, поменять их местами), итоги расчетов совпадут и оба результата получатся одновременно. Попробуем посчитать.

$$\left[\begin{array}{l} \text{Подставим (3) вместо (1)} \quad (\sqrt{\varphi\pi}) \times x = \frac{4\sqrt{\varphi}}{x} \times \frac{4}{\pi} \to x^2 = \frac{16}{\pi^2} \to x = \frac{4}{\pi} \\ \text{Подставим (1) вместо (3)} \quad (4) \times x = \frac{4\sqrt{\varphi}}{x} \times \sqrt{\varphi} \to x^2 = \varphi \to x = \sqrt{\varphi} \end{array}\right.$$

Что? Результаты-то различаются!

Попробуем двумя способами уточнить, различаются ли уравнения в результате перестановки их частей, или значения абсолютно равны и мы получили одинаковые итоги вычислений. Для первого еще раз обратите внимание на x со **схемы А**.

x является стороной квадрата, а значение его площади x^2 равно $\frac{4\sqrt{\varphi}}{\pi}$. Способ совместить это с итогом вычислений при перестановке заключается в следующем:

Если считать, что $x = \frac{4}{\pi} = \sqrt{\varphi}$, то одновременно доказывается, что $x = \sqrt{\varphi}$ и $x = \frac{4}{\pi}$.

Второй способ основан на том, что х является стороной квадрата и одновременно диаметром окружности. При подсчете площади окружности с использованием этого факта должен получиться одинаковый результат. Это самый важное, ключевое действие для проверки равенства $\frac{4}{\pi}$ и $\sqrt{\varphi}$ при помощи расчетов, поэтому прошу обратить внимание на нижеследующую схему. Площадь окружности со **схемы А.** равна $\sqrt{\varphi}$.

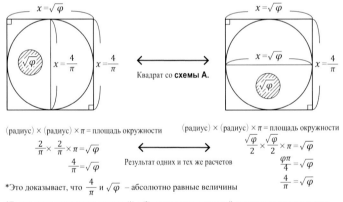

(радиус) × (радиус) × π = площадь окружности

$$\frac{2}{\pi} \times \frac{2}{\pi} \times \pi = \sqrt{\varphi}$$

$$\frac{4}{\pi} = \sqrt{\varphi}$$

*Это доказывает, что $\frac{4}{\pi}$ и $\sqrt{\varphi}$ – абсолютно равные величины

(радиус) × (радиус) × π = площадь окружности

$$\frac{\sqrt{\varphi}}{2} \times \frac{\sqrt{\varphi}}{2} \times \pi = \sqrt{\varphi}$$

$$\frac{\varphi\pi}{4} = \sqrt{\varphi}$$

$$\frac{4}{\pi} = \sqrt{\varphi}$$

Результат одних и тех же расчетов

Квадрат со **схемы А.**

*То есть, даже если поменять местами (1) и (3), в результате вычислений получим одинаковое значение

$\frac{4}{\pi}$ и $\sqrt{\varphi}$ при подставлении вместо диаметра x дают одинаковый результат вычислений, и это доказывает, что одновременно $x = \sqrt{\varphi}$ и $x = \frac{4}{\pi}$.

∴ подтверждается, что $x = \frac{4}{\pi} = \sqrt{\varphi}$ («∴» означает «следовательно»).

3. В-третьих, осуществим абсолютно такие же манипуляции с (2) и (4), как и в пункте 2. (то есть, поменяем их местами), и попробуем посчитать.

$$\left[\begin{array}{l} \text{Подставим (4) вместо (2)} \quad 4 \times x = \frac{4\sqrt{\varphi}}{x} \times \left(\sqrt{\varphi}\right) \;\rightarrow\; x^2 = \varphi \;\rightarrow\; x = \sqrt{\varphi} \\[2mm] \text{Подставим (2) вместо (4)} \quad \sqrt{\varphi}\pi \times x = \frac{4\sqrt{\varphi}}{x} \times \left(\frac{4}{\pi}\right) \;\rightarrow\; x^2 = \frac{16}{\pi^2} \;\rightarrow\; x = \frac{4}{\pi} \end{array}\right.$$

Мы получили точно такой же результат. При этом если сравнить с итогом пункта 2., то становится понятно, что при замене $\left(\frac{4}{\pi}\right)$ и $\left(\sqrt{\varphi}\right)$ как раз x тоже заменяется на $\frac{4}{\pi}$ и $\sqrt{\varphi}$. То есть, поменяв местами (2) и (4), мы тоже получаем в итоге два одинаковых результата.

$$\therefore \text{ имеем } x = \sqrt{\varphi} = \frac{4}{\pi}$$

Перед тем, как перейти к четвертому рассуждению, ни у кого не возникло одного вопроса? А именно, почему бы из равенства $x^2 = \frac{4\sqrt{\varphi}}{\pi}$ со **схемы A.b.** не взять, что $x = \frac{4}{\pi} = \sqrt{\varphi}$?

Задавшихся этим вопросом прошу обратить внимание на следующую схему (**Пример 1, Пример 2**).

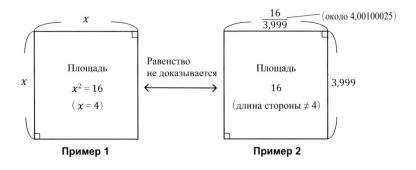

Пример 1   Пример 2

Вам понятен смысл схем? На схеме **Пример 1** при длине стороны, равной 4, площадь равняется 16.

На схеме **Пример 2** длина стороны отличается от 4 на ничтожную величину, но значение площади – 16, что равно площади со схемы **Пример 1**. При рассмотрении получается, что равенство $x = 3{,}999 = \dfrac{16}{3{,}999}$ неверно.

Площадь квадрата $x^2 = \dfrac{4\sqrt{\varphi}}{\pi}$ – вывод, полученный в частном случае при умножении площади окружности, равной $\sqrt{\varphi}$, на $\dfrac{4}{\pi}$. Другими словами, на этапе отсутствия результата рассуждений о равенстве x, $\dfrac{4}{\pi}$ и $\sqrt{\varphi}$, вывод «$x = \dfrac{4}{\pi} = \sqrt{\varphi}$» сделать невозможно.

Единственное, что можно посчитать из уравнения $x^2 = \dfrac{4\sqrt{\varphi}}{\pi}$, это…

$x = \left(\dfrac{4\sqrt{\varphi}}{\pi} \right)^{\frac{1}{2}}$ … это только **квадратный корень из выражения** $\dfrac{4\sqrt{\varphi}}{\pi}$.

По этой причине доказательство выстраивается окольными путями. Итак, перейдем к четвертому рассуждению.

4. В-четвертых, есть расчет, который должен быть по силам не только мне, но и читателям этой книги. Если исходя из предыдущих расчетов 1., 2., и 3. части равенств (1) и (3), (2) и (4) обладают абсолютно равными значениями, при перемножении (1) и (2), (3) и (4) также должны получиться тождественные результаты. Попробуем посчитать.

$$(4) \times \left(\dfrac{4}{\pi} \right) = \left(\sqrt{\varphi}\pi \right) \times \left(\sqrt{\varphi} \right) \rightarrow \dfrac{16}{\pi^2} = \varphi \rightarrow \dfrac{4}{\pi} = \sqrt{\varphi}$$

$$(1) \qquad (2) \qquad\quad (3) \qquad\quad (4)$$

Мы получили результат, аналогичный предыдущим рассуждениям. Понимаете, почему мы его приводим в самом конце? Если осуществить его в самом начале, опять-таки еще непонятно, что $\frac{4}{\pi}$ и $\sqrt{\varphi}$ - абсолютно равные величины. Это доказательство действительно только после получения второго и третьего.

Далее попробуем дополнить четыре приведенных выше доказательства. Если x, $\frac{4}{\pi}$ и $\sqrt{\varphi}$ между собой равны, то при рассмотрении периметров квадратов со **схем А.В.С.** удвоенный периметр квадрата со **схемы А.** ($4\,x$) должен быть равен сумме периметров квадратов со **схем В. и С.** ($\frac{16}{\pi}$ и $4\sqrt{\varphi}$ соответственно).

При калькуляции используем простую для расчетов правую часть уравнений d. с каждой схемы.

$$4\,x \times 2 = \frac{16}{\pi} + 4\sqrt{\varphi} \quad \left(\frac{32\sqrt{\varphi}}{x\pi} = \frac{4x^2}{\sqrt{\varphi}} + x^2\pi\right) \leftarrow \text{Используем прав. ч. уравнений}$$

Подставим $\frac{x^2}{\sqrt{\varphi}} = \frac{4}{\pi}$ из уравнения В.а.

$$4x \times 2 = \frac{16}{\pi} + 4\sqrt{\varphi}$$

$$2x = \frac{4}{\pi} + \sqrt{\varphi}$$

$$2x = \left(\frac{x^2}{\sqrt{\varphi}}\right) + \sqrt{\varphi}$$

$$2\sqrt{\varphi}x = x^2 + \varphi$$

$$x^2 - 2\sqrt{\varphi}x + \varphi = 0$$

$$(x - \sqrt{\varphi})^2 = 0$$

$$x = \sqrt{\varphi}$$

Подставим $\sqrt{\varphi} = \frac{\pi x^2}{4}$ из уравнения В.а.

$$4x \times 2 = \frac{16}{\pi} + 4\sqrt{\varphi}$$

$$2x = \frac{4}{\pi} + \sqrt{\varphi}$$

$$2x = \frac{4}{\pi} + \left(\frac{\pi x^2}{4}\right)$$

$$\frac{8x}{\pi} = \frac{16}{\pi^2} + x^2$$

$$x^2 - \frac{8x}{\pi} + \frac{16}{\pi^2} = 0$$

$$\left(x - \frac{4}{\pi}\right)^2 = 0$$

$$x = \frac{4}{\pi}$$

Результат совпадает с итогами четырех доказательств, и получается равенство $x = \frac{4}{\pi} = \sqrt{\varphi}$.

Добавим еще одно доказательство другим способом. Используем уравнение А.с. $x\pi = \frac{4\sqrt{\varphi}}{x}$ со **схемы А**. Обратите внимание на нижеследующую схему и расчеты. Фигурально выражаясь, становится ясно, что $\sqrt{\varphi}$ и $\frac{4}{\pi}$ являются двумя сторонами одной медали.

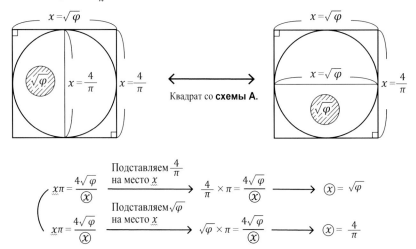

Квадрат со **схемы А**.

$$\begin{pmatrix} x\pi = \frac{4\sqrt{\varphi}}{\boxed{x}} & \xrightarrow{\substack{\text{Подставляем } \frac{4}{\pi} \\ \text{на место } x}} & \frac{4}{\pi} \times \pi = \frac{4\sqrt{\varphi}}{\boxed{x}} & \longrightarrow & \boxed{x} = \sqrt{\varphi} \\[2em] x\pi = \frac{4\sqrt{\varphi}}{\boxed{x}} & \xrightarrow{\substack{\text{Подставляем } \sqrt{\varphi} \\ \text{на место } x}} & \sqrt{\varphi} \times \pi = \frac{4\sqrt{\varphi}}{\boxed{x}} & \longrightarrow & \boxed{x} = \frac{4}{\pi} \end{pmatrix}$$

Понятен ли Вам смысл вычислений? Если длину x одной стороны квадрата заменить на $\frac{4}{\pi}$ или $\sqrt{\varphi}$, то другая сторона окажется равной $\sqrt{\varphi}$ или $\frac{4}{\pi}$ соответственно. То есть тот факт, что x одноврененнно равна и $\frac{4}{\pi}$, и $\sqrt{\varphi}$, также можно проверить по уравнению длины окружности. Можно получить результат, аналогичный предыдущим доказательствам.

∴ Равенство $x = \frac{4}{\pi} = \sqrt{\varphi}$ верно, и становится ясно, что два уравнения α и β - абсолютно тождественные уравнения, имеющие одинаковые значения.

Далее попробуем привести доказательства по **схеме В**.

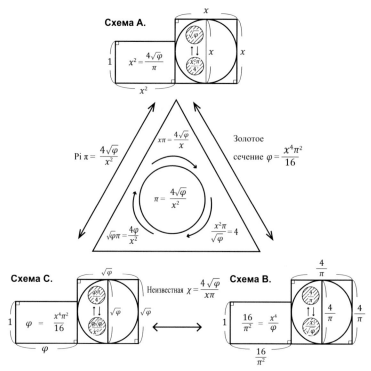

Схема взаимосвязи неизвестной χ,
золотого сечения φ и Pi π

$$\chi = \sqrt{\varphi} = \frac{4}{\pi}$$

Схема A. ≅ Схема B. ≅ Схема C.

Без напряжения разглядывая приведенную выше схему,

немного   передохнем!

Ну как, голова не устала?

Я Вас не сильно озадачиваю?

В случае схемы B.

Это доказательство идентичного содержания со **схемой A.**, и пояснения одинаковы, поэтому дублирующиеся моменты мы сократим.

При умножении уравнения B.c. со **схемы B.** на $\dfrac{4}{\pi}$ получаем уравнение B.d. В процессе этого попробуем вместо $\dfrac{4}{\pi}$ умножить на $\sqrt{\varphi}$, после чего сравнить два уравнения.

$$\dfrac{x^2\pi}{\sqrt{\varphi}} = 4 \quad \xrightarrow{\ \times\ \frac{4}{\pi}\ } \quad \dfrac{4}{\sqrt{\varphi}} \times x^2 = 4 \times \dfrac{4}{\pi} \quad \cdots\cdots\cdots \ \alpha$$

(попробуем умножить на $\sqrt{\varphi}$)

$$\dfrac{x^2\pi}{\sqrt{\varphi}} = 4 \quad \xrightarrow{\ \times\ \sqrt{\varphi}\ } \quad \pi \times x^2 = 4 \times \sqrt{\varphi} \quad \cdots\cdots\cdots \ \beta$$

*Для упрощения сравнения двух уравнений, их частям, содержащим различия, присвоим номера.

$$(1)\left(\dfrac{4}{\sqrt{\varphi}}\right) \times x^2 = 4 \times \left(\dfrac{4}{\pi}\right)(2)$$

$$(3)\left(\ \pi\ \right) \times x^2 = 4 \times \left(\sqrt{\varphi}\right)(4)$$

У двух уравнений части x^2 и 4 одинаковы, поэтому если части (1) и (3), (2) и (4) «абсолютно равны по величине», указанные выше уравнения α и β будут тождественны.

Для справки посчитаем примерные значения частей с (1) по (4) при $\pi \approx 3{,}14$, $\varphi \approx 1{,}6180$.

(1) $\dfrac{4}{\sqrt{\varphi}} \approx 3{,}1446$ (2) $\dfrac{4}{\pi} \approx 1{,}2738$ (3) $\pi \approx 3{,}14$ (4) $\sqrt{\varphi} \approx 1{,}2720$

При рассмотрении расчетов становится понятно, что части (1) и (3), (2) и (4) крайне близки по значению. Далее, как и в случае **схемы A.**, для определения того, тождественны ли вышеуказанные уравнения α и β между собой или нет, произведем четыре нижеследующих расчета.

1. Во-первых, если (1) и (3), (2) и (4) – абсолютно равные величины, то и величины полученные умножением (1) на (4), (2) на (3) должны быть равны между собой. Попробуем посчитать.

$$(\frac{4}{\sqrt{\varphi}}) \times \sqrt{\varphi} = (\frac{4}{\pi}) \times (\pi) \rightarrow 4 = 4 \text{ .... да, это так: они равны}$$

$$\quad (1) \qquad (4) \qquad (2) \qquad (3)$$

2. Во-вторых, если (1) и (3), (2) и (4) – абсолютно равные величины, и если в уравнения вместо (1) подставить (3) и наоборот (то есть, поменять их местами), итоги расчетов совпадут и оба результата получатся одновременно. Попробуем посчитать.

$$\left[\begin{array}{l} \text{Подставим (3) вместо (1)} \quad (\pi) \times x^2 = 4 \times \frac{4}{\pi} \rightarrow x^2 = \frac{16}{\pi^2} \rightarrow x = \frac{4}{\pi} \\ \text{Подставим (1) вместо (3)} \quad (\frac{4}{\sqrt{\varphi}}) \times x^2 = 4 \times \sqrt{\varphi} \rightarrow x^2 = \varphi \rightarrow x = \sqrt{\varphi} \end{array} \right.$$

$$\therefore \quad x = \frac{4}{\pi} = \sqrt{\varphi} \dots \text{получился тот же результат, что и в случае } \textbf{схемы А.}$$

3. В-третьих, осуществим абсолютно такие же манипуляции с (2) и (4), как и в пункте 2. (то есть, поменяем их местами), и попробуем посчитать.

$$\left[\begin{array}{l} \text{Подставим (4) вместо (2)} \quad \frac{4}{\sqrt{\varphi}} \times x^2 = 4 \times (\sqrt{\varphi}) \rightarrow x^2 = \varphi \rightarrow x = \sqrt{\varphi} \\ \text{Подставим (2) вместо (4)} \quad \pi \times x^2 = 4 \times (\frac{4}{\pi}) \rightarrow x^2 = \frac{16}{\pi^2} \rightarrow x = \frac{4}{\pi} \end{array} \right.$$

$$\therefore \quad x = \sqrt{\varphi} = \frac{4}{\pi} \dots \text{получился тот же результат, что и в случае } \textbf{схемы А.}$$

4. В-четвертых, если части уравнений (1) и (3), (2) и (4) обладают абсолютно равными значениями, при перемножении (1) и (2), (3) и (4) должны получиться тождественные результаты. Попробуем посчитать.

$$\left(\frac{4}{\sqrt{\varphi}}\right) \times \left(\frac{4}{\pi}\right) = (\pi) \times (\sqrt{\varphi}) \quad \rightarrow \quad \frac{16}{\sqrt{\varphi}\pi} = \sqrt{\varphi}\pi \quad \rightarrow \quad \frac{4}{\pi} = \sqrt{\varphi}$$

Получился тот же результат, что и в случае **схемы А.**

Далее попробуем привести доказательства по **схеме С.**

В случае схемы С.

Это доказательство идентичного содержания со **схемами А. и В.**, и пояснения одинаковы, поэтому дублирующиеся моменты мы сократим.

При умножении уравнения С.с. со **схемы С.** на $\frac{4}{\pi}$ получаем уравнение С.d. В процессе этого попробуем вместо $\frac{4}{\pi}$ умножить на $\sqrt{\varphi}$, после чего сравнить два уравнения.

$$\sqrt{\varphi}\pi = \frac{4\varphi}{x^2} \quad \xrightarrow{\times \frac{4}{\pi}} \quad 4 \times \sqrt{\varphi} = \frac{4\varphi}{x^2} \times \frac{4}{\pi} \quad \cdots\cdots\cdots \quad \alpha$$

(попробуем умножить на $\sqrt{\varphi}$)

$$\sqrt{\varphi}\pi = \frac{4\varphi}{x^2} \quad \xrightarrow{\times \sqrt{\varphi}} \quad \sqrt{\varphi}\pi \times \sqrt{\varphi} = \frac{4\varphi}{x^2} \times \sqrt{\varphi} \quad \cdots\cdots \quad \beta$$

*Для упрощения сравнения двух уравнений, их частям, содержащим различия, присвоим номера.

$$(1) \left(4\right) \times \sqrt{\varphi} = \frac{4\varphi}{x^2} \times \left(\frac{4}{\pi}\right) (2)$$

$$(3) \left(\sqrt{\varphi}\pi\right) \times \sqrt{\varphi} = \frac{4\varphi}{x^2} \times \left(\sqrt{\varphi}\right) (4)$$

У двух уравнений части $\sqrt{\varphi}$ и $\frac{4\varphi}{x^2}$ одинаковы, поэтому если части (1) и (3), (2) и (4) «абсолютно равны по величине», указанные выше уравнения α и β будут тождественны.

Для справки посчитаем примерные значения частей с (1) по (4) при $\pi \approx 3{,}14$, $\varphi \approx 1{,}6180$.

(1) 4   (2) $\dfrac{4}{\pi} \approx 1{,}2738$ (3) $\sqrt{\varphi\pi} \approx 3{,}9940$ (4) $\sqrt{\varphi} \approx 1{,}2720$

При рассмотрении расчетов становится понятно, что части (1) и (3), (2) и (4) крайне близки по значению. Далее, как и в случае **схем А. и В.**, для определения того, тождественны ли вышеуказанные уравнения α и β между собой или нет, произведем четыре нижеследующих расчета.

1. Во-первых, если (1) и (3), (2) и (4) – абсолютно равные величины, то и величины полученные при умножении (1) на (4), (2) на (3) должны быть равны между собой. Попробуем посчитать.

$$(4) \times (\sqrt{\varphi}) = (\tfrac{4}{\pi}) \times (\sqrt{\varphi\pi}) \rightarrow 4\sqrt{\varphi} = 4\sqrt{\varphi} \quad \text{...да, это так: они равны}$$

(1)   (4)   (2)   (3)

2. Во-вторых, если (1) и (3), (2) и (4) – абсолютно равные величины, и если в уравнения вместо (1) подставить (3) и наоборот (то есть, поменять их местами), итоги расчетов совпадут и оба результата получатся одновременно. Попробуем посчитать.

Подставим (3) вместо (1) $(\sqrt{\varphi\pi}) \times \sqrt{\varphi} = \dfrac{4\varphi}{x^2} \times \dfrac{4}{\pi} \rightarrow x^2 = \dfrac{16}{\pi^2} \rightarrow x = \dfrac{4}{\pi}$

Подставим (1) вместо (3) $(4) \times \sqrt{\varphi} = \dfrac{4\varphi}{x^2} \times \sqrt{\varphi} \rightarrow x^2 = \varphi \rightarrow x = \sqrt{\varphi}$

$\therefore \; x = \dfrac{4}{\pi} = \sqrt{\varphi}$ ...получился тот же результат, что и в случае **схем А. и В.**

3. В-третьих, осуществим абсолютно такие же манипуляции с (2) и (4), как и в пункте 2. (то есть, поменяем их местами), и попробуем посчитать.

$$
\begin{bmatrix}
\text{Подставим (4) вместо (2)} & 4 \times \sqrt{\varphi} = \frac{4\varphi}{x^2} \times \left(\sqrt{\varphi}\right) \to x^2 = \varphi \to x = \sqrt{\varphi} \\
\text{Подставим (2) вместо (4)} & \sqrt{\varphi}\pi \times \sqrt{\varphi} = \frac{4\varphi}{x^2} \times \left(\frac{4}{\pi}\right) \to \quad x^2 = \frac{16}{\pi^2} \to x = \frac{4}{\pi}
\end{bmatrix}
$$

$\therefore \ x = \sqrt{\varphi} = \frac{4}{\pi}$ …получился тот же результат, что и в случае **схем А.** и **В.**

4. В-четвертых, если части уравнений (1) и (3), (2) и (4) обладают абсолютно равными значениями, при перемножении (1) и (2), (3) и (4) должны получиться тождественные результаты. Попробуем посчитать.

$$(4) \ \times \ \left(\frac{4}{\pi}\right) \ = \ \left(\sqrt{\varphi}\pi\right) \ \times \ \left(\sqrt{\varphi}\right) \quad \to \quad \frac{16}{\pi} = \varphi\pi \quad \to \quad \frac{4}{\pi} = \sqrt{\varphi}$$

Получился тот же результат, что и в случае **схем А.** и **В.**

До этого момента мы уножили уравнения с. со **схем А., В., С.** на $\frac{4}{\pi}$, и получили уравнения d. с этих же схем, которые, в свою очередь, умножили на $\sqrt{\varphi}$. Далее мы привели доказательства того, что полученные в итоге уравнения α и β - абсолютно тождественные уравнения, имеющие одинаковые значения. При этом одновременно мы показали, что $\sqrt{\varphi}$ и $\frac{4}{\pi}$ являются «абсолютно одинаковыми величинами».

31

Глава 4 | Проверка формулы $\pi = \dfrac{4}{\sqrt{\varphi}}$

Многие читатели этой книги по ходу предыдущих расчетов наверняка особенно обратили внимание на то, что.

$x = \dfrac{4}{\pi} = \sqrt{\varphi} \dots$ а именно, $\pi = \dfrac{4}{\sqrt{\varphi}}$ (название этой книги, не так ли?)

$$\pi = \dfrac{4}{\sqrt{\varphi}}$$ - очень красивая формула!

Попробуем проверить, применимы ли эти полученные в итоге рассуждений результаты не на отдельной схеме, а одновременно для **схем A.B.C.** Становится очевидно, что упомянутая на 17 стр. «случайность» является «закономерностью». При этом в данной главе мы укажем на скрытое на схемах особое свойство $\dfrac{4}{\pi}$, и проверим, равны ли $\sqrt{\varphi}$ и $\dfrac{4}{\pi}$. Это можно сделать с помощью всех уравнений, но мы возьмем самые подходящие нам уравнения с. (длины окружности) с каждой схемы и подставим $\dfrac{4}{\pi}$ и $\sqrt{\varphi}$ вместо x. Полученная в итоге замены формула очень красива. Рекомендую всем любителям математики обязательно проверить, правильны ли наши расчеты.

А.с. на **схеме А.** $x\pi = \dfrac{4\sqrt{\varphi}}{x}$

Подставим $\dfrac{4}{\pi}$: $\dfrac{4\pi}{\pi} = \dfrac{4\sqrt{\varphi\pi}}{4}$ → $\sqrt{\varphi\pi} = 4$

Подставим $\sqrt{\varphi}$: $\sqrt{\varphi\pi} = \dfrac{4\sqrt{\varphi}}{\sqrt{\varphi}}$ → $\sqrt{\varphi\pi} = 4$

В.с. на **схеме В.** $\dfrac{x^2\pi}{\sqrt{\varphi}} = 4$

Подставим $\dfrac{4}{\pi}$: $\dfrac{16\pi}{\pi^2\sqrt{\varphi}} = 4$ → $\sqrt{\varphi\pi} = 4$

Подставим $\sqrt{\varphi}$: $\dfrac{\varphi\pi}{\sqrt{\varphi}} = 4$ → $\sqrt{\varphi\pi} = 4$

С.с. на **схеме С.** $\sqrt{\varphi\pi} = \dfrac{4\varphi}{x^2}$

Подставим $\dfrac{4}{\pi}$: $\sqrt{\varphi\pi} = \dfrac{4\varphi\pi^2}{16}$ → $\sqrt{\varphi\pi} = 4$

Подставим $\sqrt{\varphi}$: $\sqrt{\varphi\pi} = \dfrac{4\varphi}{\varphi}$ → $\sqrt{\varphi\pi} = 4$

Итоги всех вычислений одинаковы. Вы понимаете, что произошло? Длина окружности на по отдельности построенных **схемах А., В.** и **С.** равна 4, и можно считать, что на самом деле они идентичны.

Хочу привлечь Ваше внимание к расчетам в уравнении А.с., где x находится по обе стороны от знака равенства. При этом пригодится пояснение на стр. 25.

Ур-е А.с. $x\pi = \dfrac{4\sqrt{\varphi}}{x}$

В лев.ч. подставим $\sqrt{\varphi}$, в пр.ч.— $\dfrac{4}{\pi}$: $\sqrt{\varphi}\,\pi = \sqrt{\varphi}\,\pi$

В лев.ч. подставим $\dfrac{4}{\pi}$, в пр.ч. — $\sqrt{\varphi}$: $4 = 4$

$\sqrt{\varphi}\,\pi$ и 4 равны, поэтому даже если подставить в левую и правую части уравнений вместо x и $\dfrac{4}{\pi}$, и $\sqrt{\varphi}$, результат будет таким же, и можно удостовериться, что это - одинаковые величины.

А Вы точно по всем уравнениям проверили?!

Результаты подстановки во все уравнения приведу на следующей странице.

	Результат подстановки $\sqrt{\varphi}$	Результат подстановки $\dfrac{4}{\pi}$	Результат расчета π
Ур-е А.a. (площадь окружности)	$\sqrt{\varphi}=\dfrac{4}{\pi}$	$\sqrt{\varphi}=\dfrac{4}{\pi}$	$\pi=\dfrac{4}{\sqrt{\varphi}}$
Ур-е А.b. (площади квадрата и прямоугольника)	$\varphi=\dfrac{4\sqrt{\varphi}}{\pi}\left(\dfrac{4\sqrt{\varphi}}{\pi}=\dfrac{16}{\pi^2}\right)$	$\dfrac{16}{\pi^2}=\dfrac{4\sqrt{\varphi}}{\pi}\left(\dfrac{16}{\pi^2}=\varphi\right)$	$\pi=\dfrac{4}{\sqrt{\varphi}}$
Ур-е А.c. (длина окружности)	$\sqrt{\varphi}\,\pi=4$	$\sqrt{\varphi}\,\pi=4$	$\pi=\dfrac{4}{\sqrt{\varphi}}$
Ур-е А.d. (периметр квадрата)	$\dfrac{16}{\pi}=4\sqrt{\varphi}$	$\dfrac{16}{\pi}=4\sqrt{\varphi}$	$\pi=\dfrac{4}{\sqrt{\varphi}}$
Ур-е В.a. (площадь окружности)	$\sqrt{\varphi}=\dfrac{4}{\pi}$	$\sqrt{\varphi}=\dfrac{4}{\pi}$	$\pi=\dfrac{4}{\sqrt{\varphi}}$
Ур-е В.b. (площади квадрата и прямоугольника)	$\varphi=\dfrac{16}{\pi^2}$	$\varphi=\dfrac{16}{\pi^2}$	$\pi=\dfrac{4}{\sqrt{\varphi}}$
Ур-е В.c. (длина окружности)	$\sqrt{\varphi}\,\pi=4$	$\sqrt{\varphi}\,\pi=4$	$\pi=\dfrac{4}{\sqrt{\varphi}}$
Ур-е В.d. (периметр квадрата)	$\dfrac{16}{\pi}=4\sqrt{\varphi}$	$\dfrac{16}{\pi}=4\sqrt{\varphi}$	$\pi=\dfrac{4}{\sqrt{\varphi}}$
Ур-е С.a. (площадь окружности)	$\sqrt{\varphi}=\dfrac{4}{\pi}$	$\sqrt{\varphi}=\dfrac{4}{\pi}$	$\pi=\dfrac{4}{\sqrt{\varphi}}$
Ур-е С.b. (площади квадрата и прямоугольника)	$\varphi=\dfrac{16}{\pi^2}$	$\varphi=\dfrac{16}{\pi^2}$	$\pi=\dfrac{4}{\sqrt{\varphi}}$
Ур-е С.c. (длина окружности)	$\sqrt{\varphi}\,\pi=4$	$\sqrt{\varphi}\,\pi=4$	$\pi=\dfrac{4}{\sqrt{\varphi}}$
Ур-е С.d. (периметр квадрата)	$\varphi\pi=\dfrac{16}{\pi}=4\sqrt{\varphi}$	$\dfrac{16}{\pi}=4\sqrt{\varphi}$	$\pi=\dfrac{4}{\sqrt{\varphi}}$

Для упрощения сравнения результатов расчетов одинаковые формулы отнесены к одним и тем же частям равенств, правым или левым. Изо всех уравнений становится ясно, что **схемы А., В., и С.** идентичны, а также можно сделать вывод о том, что $\pi=\dfrac{4}{\sqrt{\varphi}}$.

Далее в таблице на следующей странице мы рассмотрим «третью причину», объяснение которой было начато на стр. 11. Теперь можно удостовериться, что $\dfrac{4}{\pi}$ обладает крайне примечательным свойством.

В таблице прошу обратить особое внимание на части с $\dfrac{4}{\pi}$, подчеркнутые волнистой линией.

Сокращенная схема	Диаметр	Длина окружности	Площадь окружности	Площадь квадрата	Площадь четырех углов	Площадь маленького прямоугольника
	$\dfrac{7}{\pi}$	7	$\dfrac{49}{4\pi}$	$\dfrac{49}{\pi^2}$	$\dfrac{49}{\pi^2} - \dfrac{49}{4\pi}$	$\dfrac{49}{\pi^2} - \dfrac{7}{\pi}$
	$\dfrac{6}{\pi}$	6	$\dfrac{9}{\pi}$	$\dfrac{36}{\pi^2}$	$\dfrac{36}{\pi^2} - \dfrac{9}{\pi}$	$\dfrac{36}{\pi^2} - \dfrac{6}{\pi}$
	$\dfrac{5}{\pi}$	5	$\dfrac{25}{4\pi}$	$\dfrac{25}{\pi^2}$	$\dfrac{25}{\pi^2} - \dfrac{25}{4\pi}$	$\dfrac{25}{\pi^2} - \dfrac{5}{\pi}$
	$\dfrac{4}{\pi}$	4	$\dfrac{4}{\pi}$	$\dfrac{16}{\pi^2}$	$\dfrac{16}{\pi^2} - \dfrac{4}{\pi}$	$\dfrac{16}{\pi^2} - \dfrac{4}{\pi}$
	1	π	$\dfrac{\pi}{4}$	1	$1 - \dfrac{\pi}{4}$	0
	$\dfrac{3}{\pi}$	3	$\dfrac{9}{4\pi}$	$\dfrac{9}{\pi^2}$	$\dfrac{9}{\pi^2} - \dfrac{9}{4\pi}$	$\dfrac{9}{\pi^2} - \dfrac{27}{\pi^3}$
	$\dfrac{2}{\pi}$	2	$\dfrac{1}{\pi}$	$\dfrac{4}{\pi^2}$	$\dfrac{4}{\pi^2} - \dfrac{1}{\pi}$	$\dfrac{4}{\pi^2} - \dfrac{8}{\pi^3}$
	$\dfrac{1}{\pi}$	1	$\dfrac{1}{4\pi}$	$\dfrac{1}{\pi^2}$	$\dfrac{1}{\pi^2} - \dfrac{1}{4\pi}$	$\dfrac{1}{\pi^2} - \dfrac{1}{\pi^3}$

*Масштаб на схеме неточен.

*Помимо случая с диаметром, равным дроби $\dfrac{4}{\pi}$, «диаметр и площадь окружности», а также «площадь четырех углов и площадь маленького прямоугольника» между собой равны не будут. Прошу обратить на это внимание (опять-таки, это ограничивается случаем прямоугольника, у которого левая сторона равна 1).

При диаметре в $\dfrac{4}{\pi}$ величина площади окружности становится ему равна, а также, как указано в таблице, между собой равны и площади четырех углов и маленького прямоугольника. Подобное не наблюдается на схемах с диаметрами другой величины.

Это замечательное свойство стало одной из главных причин предположить абсолютное равенство $\dfrac{4}{\pi}$ и $\sqrt{\varphi}$ (*следует помнить, что это ограничивается случаем при равенстве левой стороны прямоугольника единице).

Для проверки этого предположения рассмотрим две нижеследующие схемы.

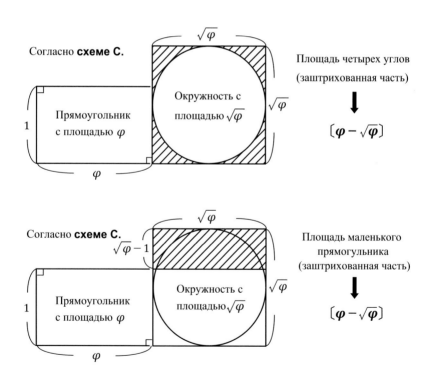

Согласно **схеме С.**

1

Прямоугольник с площадью φ

φ

$\sqrt{\varphi}$

Окружность с площадью $\sqrt{\varphi}$

$\sqrt{\varphi}$

Площадь четырех углов (заштрихованная часть)

$[\varphi - \sqrt{\varphi}]$

Согласно **схеме С.**

$\sqrt{\varphi} - 1$

1

Прямоугольник с площадью φ

φ

$\sqrt{\varphi}$

Окружность с площадью $\sqrt{\varphi}$

$\sqrt{\varphi}$

Площадь маленького прямогульника (заштрихованная часть)

$[\varphi - \sqrt{\varphi}]$

Благодаря предыдущим рассуждениям стало ясно, что площадь окружности на **схеме C.** равна $\sqrt{\varphi}$. Также значения двух заштрихованных фигур со схемы равны между собой и составляют «$\varphi - \sqrt{\varphi}$». Точно так же, как и при $\dfrac{4}{\pi}$, диаметр и площадь окружности, а также и площади четырех углов и маленького прямоугольника становятся равны, и $\sqrt{\varphi}$.соответствует особым характектеристикам, которыми должно было обладать только $\dfrac{4}{\pi}$.

Теперь Вы понимаете, почему во «второй причине» на стр. 13 мы установили площадь окружности длиной в $\sqrt{\varphi}$? При этом доказательство равенства x и $\sqrt{\varphi}$ неизбежно привело к обоснованию равенства $\dfrac{4}{\pi}$ и $\sqrt{\varphi}$. Поняли причину, по которой я просил: «Сгорающие от любопытства школьники, не хитрите, поскорее перевернув страницу!»

Благодарю за прочтение этой книги…

Подождите-ка! Вы же не закончите на этом?

То, что я напишу далее – истинная цель этой книги. Для многих людей (включая меня, написавшего эту книгу, и ее читателей), возможно, эта мысль будет новой. Но данная книга была написана для того, чтобы поставить этот большой вопрос.

В завершение Главы 4 привожу четыре важные взаимосвязанные схемы.

Схема взаимоотношений между треугольником с золотым сечением и каждой фигурой I

Схема А.

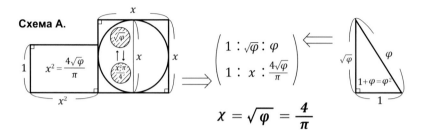

$$\chi = \sqrt{\varphi} = \frac{4}{\pi}$$

Схема В.

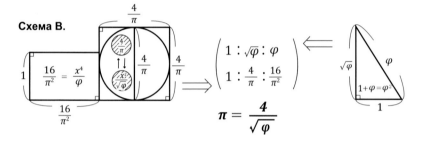

$$\pi = \frac{4}{\sqrt{\varphi}}$$

Схема С.

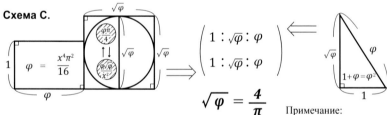

$$\sqrt{\varphi} = \frac{4}{\pi}$$

Примечание:
математический знак
":" в Японии означает -
пропорция, соотношение.

$$\chi = \sqrt{\varphi} = \frac{4}{\pi}$$

Схема А. ≅ Схема В. ≅ Схема С.

Схема взаимоотношений между треугольником с золотым сечением и каждой фигурой II

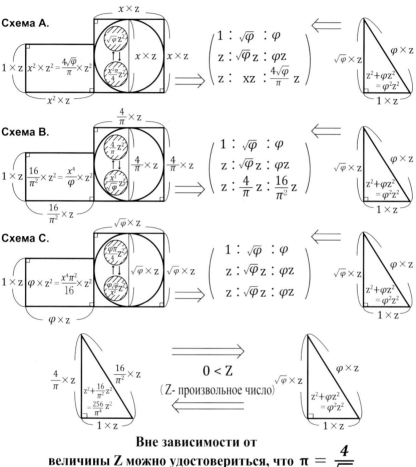

Вне зависимости от величины Z можно удостовериться, что $\pi = \dfrac{4}{\sqrt{\varphi}}$

$$ \chi z = \sqrt{\varphi}\, z = \dfrac{4}{\pi}\, z $$

Схема А. $\cong$ Схема В. $\cong$ Схема С.

Схема взаимоотношений между треугольником с золотым сечением и каждой фигурой III

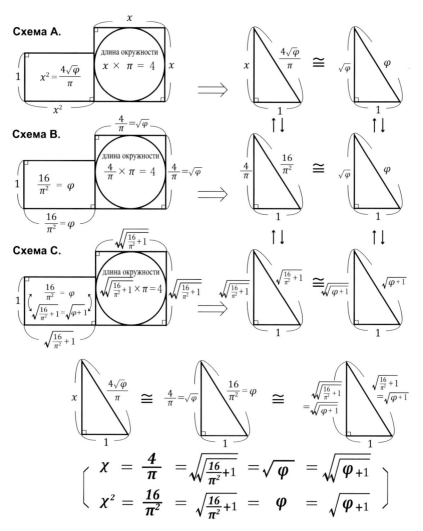

$$\begin{cases} \chi = \dfrac{4}{\pi} = \sqrt{\dfrac{16}{\pi^2}+1} = \sqrt{\varphi} = \sqrt{\sqrt{\varphi+1}} \\ \chi^2 = \dfrac{16}{\pi^2} = \sqrt{\dfrac{16}{\pi^2}+1} = \varphi = \sqrt{\varphi+1} \end{cases}$$

Схема А. ≅ Схема В. ≅ Схема С.

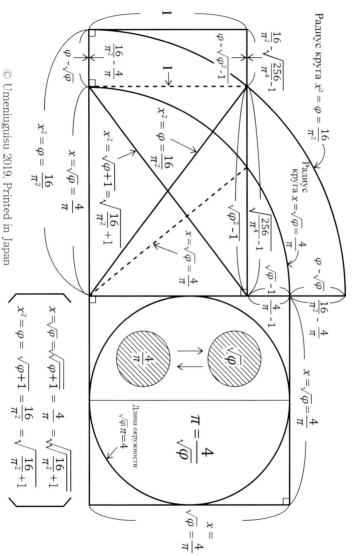

Связанные значения π и φ на схема

В заключение

Ну как вам «новый метод вычисления числа π на уровне математической подготовки средней школы»? А теперь у меня вопрос к читателям этой книги.

Ее название…

ЧТО?! $\pi = \dfrac{4}{\sqrt{\varphi}}$ - ЭТО ПРАВДА?!

Понятен ли Вам его истинный смысл? Я думаю, что это особенно бросается в глаза читателям с продвинутыми математическими знаниями, а для тех, кто ничего не замечает, приведу следующие значения.

В настоящее время используемое значение π: $\pi = 3{,}14159265358\ldots\ldots$

Значение π, проверенное в этой книге: $\pi = 3{,}14460551102\ldots\ldots$

Вы понимаете, что произошло?..

Если мне не изменяет память, используемое в настоящее время значение числа π в 2016 году должно было быть просчитано с точностью до 20 триллионов знаков после запятой. Пожалуй, расчеты проводились с помощью так называемого «суперкомпьютера». Мой «суперкомпьютер», купленный за 680 иен (без налога) в магазине предметов домашнего обихода не может отобразить более 12 знаков после запятой. Но сколько знаков после запятой ни просчитай, верное значение числа π должно быть только одно.

Дорогие читатели, что же поделать с разницей этих двух значений?

Этот вопрос я также задавал сам себе. И ответом на него стало написание этой книги.

В конце я хочу еще раз сказать, что я не являюсь ни математиком, ни ученым, ни специалистом на каком-либо предприятии. Я всего лишь простой рабочий. Проверку формулы $\pi = \dfrac{4}{\sqrt{\varphi}}$ я доверяю математикам и людям с продвинутыми математическими знаниями, но есть способ, с помощью которого в ее истинности легко могут удостовериться люди со скромными познаниями в математике, включая меня.

И это…

Попробовать измерить!

Это по плечу и профессионалу, и любителю математики. Нужно только точно измерять. Думаю, что с результатами измерений никто не поспорит. Дорогие ученики средней и старшей школ, не попробуете ли начертить окружность диаметром 10 м (только очень точно!) в спортзале и измерить? Или же если есть обширное пространство, изобразите окружность диаметром 50 м, 100 м, и измерьте!

Окр.диаметром 10м
$\left[\begin{array}{l}\text{Если измерения составят 31 м 41,5 см} \rightarrow \text{равно использ.}\\ \qquad\qquad\qquad\qquad\qquad\quad \text{в настоящее время значению } \pi\\ \text{Если измерения составят 31 м 44,6 см} \rightarrow \pi \text{ равно} \dfrac{4}{\sqrt{\varphi}}\end{array}\right.$

Если осуществить измерения, как описано выше, думаю, что все станет ясно. В обычной жизни ошибиться на 3,1 см при окружности диаметром в 10 м не страшно. Но я хочу, чтоб Вы представили себе ситуацию в масштабах Вселенной.

При расстоянии полета искусственного спутника вокруг Земли на высоте в 300 км над ее поверхностью (диаметр земного шара около 12 700 км) погрешность расчетов составит около 39 км (целых 39 км!). Более того, когда рано или поздно придет время землянам построить большой космический корабль и полететь из Солнечной системы: диаметр нашей Галактики Млечный Путь оценивается в примерно 100 000 световых лет. При полете на космическом корабле вокруг Млечного пути отклонения составят уже примерно 310 световых лет. Получим разницу в 310 лет движения со скоростью света (всего за секунду совершающего 7 с половиной оборотов вокруг Земли). Уже и язык не поворачивается назвать это «погрешностью».

Все читатели, имеющие вопросы, или наоборот, интерес; сгорающие от любопытства ученики средней или старшей школ, попробуйте-ка измерить сами! Если длина окружности с диаметром в 10 м окажется 31 м 41,5 см, вы легко докажите, что в этой книге написана неправда!

Что? А Вы сами-то измерять не собираетесь?..

У меня еще со времен детсада слабый вестибулярный аппарат, боюсь, упаду еще до того, как обойду круг (шутка). Поэтому очень жду, что кто-то проверит истинность моих вычислений, и поделится со мной.

27 сентября 2017 года
Umeniuguisu

ЧТО?! $\pi = 4\big/\sqrt{\varphi}$ =3,1446... ЭТО ПРАВДА?! [Исправленное издание]

Автор: Umeniuguisu

Перевод с японского языка на русский: GLOVA Corporation

Издательство BookWay

670-0933, г. Химэдзи, Хираномати 62

Тел. 079 (222) 5372   Факс 079 (244) 1482

https://bookway.jp

Место печати: Ono Kousoku Insatsu Co., Ltd.

©Umeniuguisu 2020, Printed in Japan

ISBN978-4-86584-460-3